青い水の哀歌

井上輝夫

ミッドナイト・プレス

目次

一章　あづみ野　9

青い水の哀歌

一章　あづみ野

秋の音

三日月は爪
赤松の太い弦を
はじいてゆく
かすかな月あかりの
ひびきに
せせらぎが喝采する
さやかに

雨あがる

水琴窟から音がはねて
したたる驟雨の休止符
紅葉の山に虹
西山にもえる如来の後光に
夜をよぶコウモリの乱舞
太古の固い実のように
ことり　落ちる秋
「旅のもの」の目をさまして

はるかな荒海へいそぐ川音
夕べの悔恨の闇へ
さわぎ　渦まく

釣り

まだサフラン色のただよう
夜の門のほうへ
鳴きながら群れかえるカラス

ところで　いま
宇宙はなん時なの
魚もそろそろ夢みるころだ
釣り竿を肩に男が

暮れなずむ湖の深みをのぞく
狙うのは
金星のゆれるまたたき
虚室のような心で
釣りあげる
虹鱒色の秋
一三八億年目の秋

空華《くうげ》

人が見つめた刹那
まさに撃たれた鳥は
ひと粒のエメラルドとなって
垂直におちる
羽根をちらして……

それでも鳥のかるい命は
金色の枯れ葉から

いままさに
おおらかに羽ばたいて
須弥山の
ゆれる枝にさえずる

予報

ゆっくりと
にぎわう宇宙のまたたく回廊に
傾いてゆく星の柄杓
地の白い冬ごもりを告げる
みごとな夜の白金の岸辺

あすは朝霧をおどろかせて
コハクチョウの回帰

幻化

ふかい淵の傷
こわばった血の泡
「旅のもの」は
息も吐けず　思惟もひびわれ
ああ　もう歩けない
立ちすくむ闇に沈む橋
ことばも　帰る草の戸もない

かなたの母の国から
光にさそわれたがゆえの喜び
闇を知ったがゆえの痛み
このさかまく淵をなんと呼ぶのか
神の気まぐれ
ひとの世のもろさ
この幻化の機織るひびきは
だれのための綾
なんのための綾

四十雀の林

雪の純白に咲く朝
四十雀は群になって飛ぶ
枝えだに餌をめあてに
跳ねる黒白の石粒のように……
ことばの門外にまよいでた翁は
ひとり冬ごもり
おりおり枯れ枝がゆれ
跳ねる黒白の石粒

終日
ダイアモンド・ダストのなかに
黒白の合図をきいた

居眠り

雪のマントを羽織った
あの風の又三郎め
そっと　また
窓ガラス　こんこん
「なにか御用？」

赤松林　ひょうひょう
千の口笛を吹き鳴らし

戸外には子狐もいない
うとうと机にふせて
うたたねする老いた頭脳に
あることもないことも
幻のなかのうつつだか
うつつのなかの風の悪戯だか

皇帝のように

月明かりより銀色の雪
しなやかな影のような
なにものか
通りすぎる庭さき
つややかな野生の匂い
小心な野狐　それとも座敷童？
「えーい　ここにおいでよ

かくれんぼはやめようよ
至高の凍る静けさのなかで
『あることの美
いのちの短さ』について
あのローマ皇帝のように
語りあかそう
燭台に油をさして
壊れやすいわれらの言葉で
屋根からすべり落ちる雪ににた
『歴史のはかなさ』についても」

雪見猫

黒びかるビロード織りの
猫一匹
白いボーンチャイナの
花瓶のかたわら
しどけなく尾をまいて
見やっている窓の外

ときおり赤松の

もろい枝が身ぶるいして
猫のまばたく黄金の目に
どっと　なだれ落ちる
牡丹雪

地中ふかく
春はまだ
球根にまどろむ

水鏡

この桃源の東
雪どけ水がしゃべりはじめる片言
緑の匂いをひろげる天地に
田ごとの水に
すこし赤らむ朝あけ
ふいにやって来た
西からの黄砂
春の少女は

畑中のまあたらしい墓に
山桜　手もとに一朶
はじめて供える

田はかるく浮かべる
雪峰の影　木蓮も

早春の堤

どこかで春を叩く音がする
となコゲラ、ツグミ?　それとも光の粒子?
おしゃべりな女川の
水かさがました
となり
木蓮の枝にぽっちりあかい芽
岩壁に雪形の蝶が飛んだ

となあちらの南の谷では
井月さんが
タンポポの咲く堤で踊った
となからの酒瓶から
ふっくら
俳諧の芽がふいた
とな

墓と蛇

渡り鳥の
北帰行のはじまるころ
雪のこる峠から眺める川は
うす緑の蛇
あの日もかわらなかった
生まれたてのうす緑の蛇
暮れなずむ暮色に
ふいに少年の胸をかむ

はじめての春の血のさわぎに
「何がおこったのだ」

七十年ののち
手に杖の少年をかむ痛みは
川岸の恋の墓

落とし笛

小石の碑《いしぶみ》をつもう
コナラの落ち葉をかけて
露にぬれた梅の実を枕に
うなずくように顎をひいた
空の落とし笛よ
とざした一本のまぶた
いつ雲井から落ちたのか

虫さめる春雨もしらず
恋の初音もわすれた笛
黄緑の羽根　やわらかな骸よ
もう割れてしまった
空の落とし笛

小石の碑をつもう
赤松の根元の洞に
「音なき笛　ここにさえずる」
春一番よ　すこし静かに

黒鬼郷

おもしろい名の集落に
ことし　はじめて
したたる水の音
氷柱つらなる軒下に

白い峰みねは嫁入りで
雲のヴェールをなびかせていた

五柳先生　ここにいらっしゃい
鬼などどこにもいやしない
えいえいたる乏しい山里の暮しも
ここではうまし飯　うまし酒
虫たちも草の芽も
空の青さに酔いしれる

至福

みずうみの水は緑
向岸の山桜　五、六本
さかさにうかべ
白い峰みね　さかさにうかべ
はてもなく風もなく
渚の花びらをすくった
童は
望むものとてなにもなかった
この至福の存在のほかに

峰に
白い駿馬あらわれ
田には水をはり
老いた農夫の耕すあとを
抜き足さし足　あゆむ青鷺
とおくでは
水車をまわす水音

天ト地ノ営ミハ
千年ノ痛恨　千年ノ至福
人生ハ幻化ニ似ル
ノカ

夏の夕べ

かなかなかな
　　かな
かわいたひびきは
唐松林をつらぬき
これをさかいに
白くうかぶ月
いまや裏山の肩には
死者のなつかしい瞳

一番星　ともる
黄泉の夕ぐれではない
時をこえて語りあう
至福の時だ
「会いたかった」

伝説

萩の花の咲くまえに
若い女がくるった
という
もう還ってこられない
薄明の滝壺へ
若い女がさかさにおちていった
と村の古老が語る
朽ちた女人堂の陰に

抜けがらの白蛇のうろこ
彼岸花　咲く坂道

嵐くる

嵐の夜は
ばらばらふりつもる松葉
明け方
野猿　山寺のぬれた石段に
子を背に降りてくる
そろそろイガグリの実も落ちるか

なおも嵐の大きな足は

大太鼓たたいて野をまたぎ
みはてぬ季節へ
錦秋のさざめく山水へ
雷神をかかえて突っ走る

ひそかに魂は

ひそかに魂は
山のいただきに帰るという
うす化粧して……
熊棚の下のこみちを
眼下にエメラルドの湖水
ルビー色にそまる白鯨の雲
谷に煙　うす絹にたなびく
さわがしい祭の栄華もとうにおわり

いまは白髪三千丈にそまる爺ケ岳
どこかでコノハズクが鳴く
ブッキョッコー
なんだ
おまえは仏陀の弟子か
十三夜に
月を鏡に余命かぞえる

赤い御霊《みたま》

鈴虫のなくころ
桃色のいわし雲が高い
ターナーの灼熱の空だ
地にははじけた栗　栗　栗
石段に　ころ　ころ　ころ

山寺の清い池水に
セロファンの羽根ふるわす

アキアカネの数しれず群れとぶ
小さな赤い御霊は
掌にとまる　そっと

「山から帰ってきたのか
おお　わが妹たちよ
よく帰ってきた　わが友たちよ」

いまは　心　鎮め
赤い御霊の群れに
今年
最後のすすき手向ける

二章　羈《き》旅《りよ》の靴音

瀬戸内

コバルトの蝮の目に
うつる万緑
みかん山　こがね点々
そば道に濃い影をひいて
弓なりの岬をまわれば
かすかにほてった海峡の群青
沖に澪ひくぽんぽん船
幼いわが手をひいてゆく石段の

なんという永遠の夏
ひと汗かけば港町よ

あの千本桜の坂道で
かわすほほえみのお辞儀もない
ああ　立ちすくむ浦島子に
つれない鯛売りの声
日焼けしたあの女の声ではないな
三日月のような突堤から
かもめにとびかかる三毛の猫
てれたように空中から
杖ひく旅人をみおろす

櫂音寺の庭の闇に
さるすべりはあわくしずみ
旅館の円窓から
漁り火と島々の影をみやれば
ふいに流れ星と入れちがって
天をめざす五尺の花ふたつ
ややあって　どん
大太鼓　どん　どん
遠い日にしだれた火の玉

ややあって幼い海
天に沈む

白玉峠

ゆるやかに暗転する夏の扉
とうとう火の山の驟雨にぬれる
フォッグランプつける峠

穢土からさまよいきた旅の
地獄谷に吹きだす悲しみの熱水よ
われらの夢はヒビ割れた土器《かわらけ》

愛するのは　むかし
関守の白刃のした
舞ってみせた青墓の白拍子たち
黄帯紅帯ひらめく地下《じげ》の歌

貧しい卵をあたためる恋の月に
けがれない道行きに身をささげる
空へふきあげる熱い落下よ
古代マニ教の痙攣する狂気さながら

おお　照手姫の手よ
見えぬ山百合の香りに
熊野への道しるべを

驟雨　霧ふかい白玉峠に

北海《ノルト・ゼー》

この北海の渚
しぶきに濡れる夕月は病んで
くろぐろころがる貝殻
風に灌木はかちかちふるえ
潮騒に降誕祭の歌もとどかない

おお　さむい

そっとほそい脚
ゆっくりのばし
かもめの歩むホテルの内庭
夢でみた聖母はきえて
花瓶にながれるあかつきの光

そっと白磁の肩に手をおいて
ことばなき別れのとき
くもる窓ガラスのむこうに
一歩また一歩　街路樹の影にきえる
あなたはだれ　どこから来たのか
一度はあなたを愛したのだろうか
青金の目をしたイコンの女

あしたは赤さびた風車の
運河をわたる列車か
切符はゴッデスドルフ駅へ
地図もないこの「陽の沈む大陸《アーベントラント》」に
うずまき泡だつ大波
ふいに極限の怒りへかけ上り
不在の中心へくずおれ吼える海の獣
もう　おそすぎるのだ

おお　さむい
崩壊へきしみだすこの星の裂け目

古都幻想

夜のそこをはらって
尖塔《ミナレ》から神よぶ声は
かわいた初夏の褐色
旧市街《メディナ》の空に残月あわく
燕たちアラビア文字をえがき
「いまここ」に舞いとぶ命のかぎり
「あなたの上に平安あれ《アッサラーム・アライクム》」

ほら、青の門からでてゆく影法師
ハッサン・アル・ワッザンさま?
人よんでアフリカ人レオンさまよ
右にゆらり　左にゆらり
ロバの背に
岩の峠をこえてゆく
アレキサンドリアへはるかな旅よ
薔薇の古都の
凜とした空気ふるわせ

ごらん　あちらには
ただひたすら鞭におわれて
約束の地をさがすぼろぼろの民

「豚野郎　こっちに来るんじゃねえ」
金や銀　短刀のきらめきを
もてあそぶあきんどの唾
路地から路地へ　鞭におわれて
ほこりまみれの靴
墓地の木かげでぬぐうまぶた

「水はないか　水はないか
緑の木陰　優しい泉は」
小鳥を襲う蛇の舌
とおい伝説から吹きだす毒に
どの街角の噴水もひあがって
野辺のブーゲンビリアも

さまよう民の傷口の色

つれなくも無慈悲な空の下
朝露の手はゆっくり
いくつもの無縁の石をさすり
「ここに　いとしき兄　眠る
ここに　いとしき妹　眠る
ここに　旅の神　眠る
もうよいのだよ
すべての惨いことはおわり
宇宙は抱きしめる
すべての罪」

墓のかわいた白い石は
ささやく　旅する耳に
「おまえもまた
市の銀貨を数えるもの
やがてこのにぎわいから
あの焼ける雲のかなたへ
金貨も薔薇の香水ももたず
帰らざる門をくぐる

燕たちひらりひるがえる
初夏のひかりに」

バザール

さて　はて　この
はてのない赤壁の迷路には
アリアドネの糸がいる

ほら　あそこ
あさぐろい老人たち
ひがな一日　路地の日かげ
象牙の骰子《サイコロ》にたわむれ

ほら　こちら　戸口のかげ
青くするどい猫のまなざし
ゆきかう旅人の運勢うらなう

なんという汗くさい広場か
あの口から火をふく黒人
サハラをこえてやってきたのか
お捻りを目くばせする
しなやかな豹の踊り子よ
どんな村から流れてきたのか
なめし革　ランプを片手に
たたずむアラジンの黒曜石の瞳に
かかる白い三日月

かつ　かつ　かつ
焼肉の青いけむりをわけて
忍従を背にロバがくる
瑪瑙の目をふせて
血ひとすじ　肩からたらし
神へ礼拝する心さえいだいて
気づかうのだ
おろかな
おろかな
いさかいの時を

瞬間
棕櫚の大きな葉扇

はげしくふるえ
異邦人のたむろするキャフェ
とびちる　窓
テーブル　くずれ
血　ひとすじ流れる床
しわくちゃの紙幣
とびまう広場に
ひろがる静けさ止まる時

赤い月のメディナよ　爪弾いておくれ
あの「アルハンブラ」のきよき調べを

孤島

ないだ磯に
浮き雲の影が流れるとき
ここはなんのα《アルファ》あるいはω《オメガ》
さざ波に
ころころささやく
桜色にみがかれた貝殻の
ころころ踊る渚
あれは外つ国のまれびとが

善きしらせをささやいた
薔薇窓の破風の家
かすかな光はパライゾの
藍いろの海のこころ　天の歌

都のひとは知っているだろうか
なにかを求めて舟板をおりる旅
なにかを求めて舟板をのぼる旅
朝と夕べにすれちがう潮境
不老不死をたずねる秦のひと
大雁塔を夢みる倭のひとと
おろす帆　あげる帆
だから舟歌はいつも

勇壮でかなしい

ごらん　旅のひとよ
夕暮れは春の小嵐
あら磯に鳶ひとつ
あおられ　ひるがえり
在りし日も舞いもどる

ごらん　旅のひとよ
唐へわたる船
ほら　白波に蹴あげられ
善知識をもとめてはてにきえ
帰りつくわこうどいくばくぞ

桟橋に今様うたうおみなもなく
島よ　はての別れ浜
桜貝ころころささやく
こころあれば
流れつく命も骨も祝福しておくれ

秋風の歌

どうしてこの空を飛ぶの
わたしはしらない
ピンクの朝が梢をそめれば
わたしは歌う　残月を笛に
さあ　おめざめなさい

どうして西から吹くの
わたしはしらない

お爺さんのうたたねのなか
夢粒をついばんでいるわたし
ひとつの偶然　ひとつの気まぐれ

どうしてこの時を飛ぶの
わたしはしらない
あのおばあさんの思い出の庭に
いぶかしげに今年も咲いた梅
とおい恋の思い出みたいね

どうして彼岸花は赤いの
わたしはしらない
こうしてひとたび、みたび

息ふくと　雲の河原に
秋の歌　ぴーひゃらら
わたしは宇宙の笛太鼓
そっと叩いてそっと吹く

願掛け絵馬

来たところもしらず
帰るところもしらず
もはや
森を泉をよごさず
川を海をにごさず
いのちも
花も実も喰わず
まことに霞すすらん

寸鉄をおびず

輪廻からはなれた
笹舟のごとく
無限の大海原の
星々をあおいで
波にねむる
願わくば
透明な骨

この流謫の願掛けに
銀うるしの盃に
あかあか　澄んだ

月のひかり
一杯
あかあか
もう
一杯

三章　青い水の哀歌

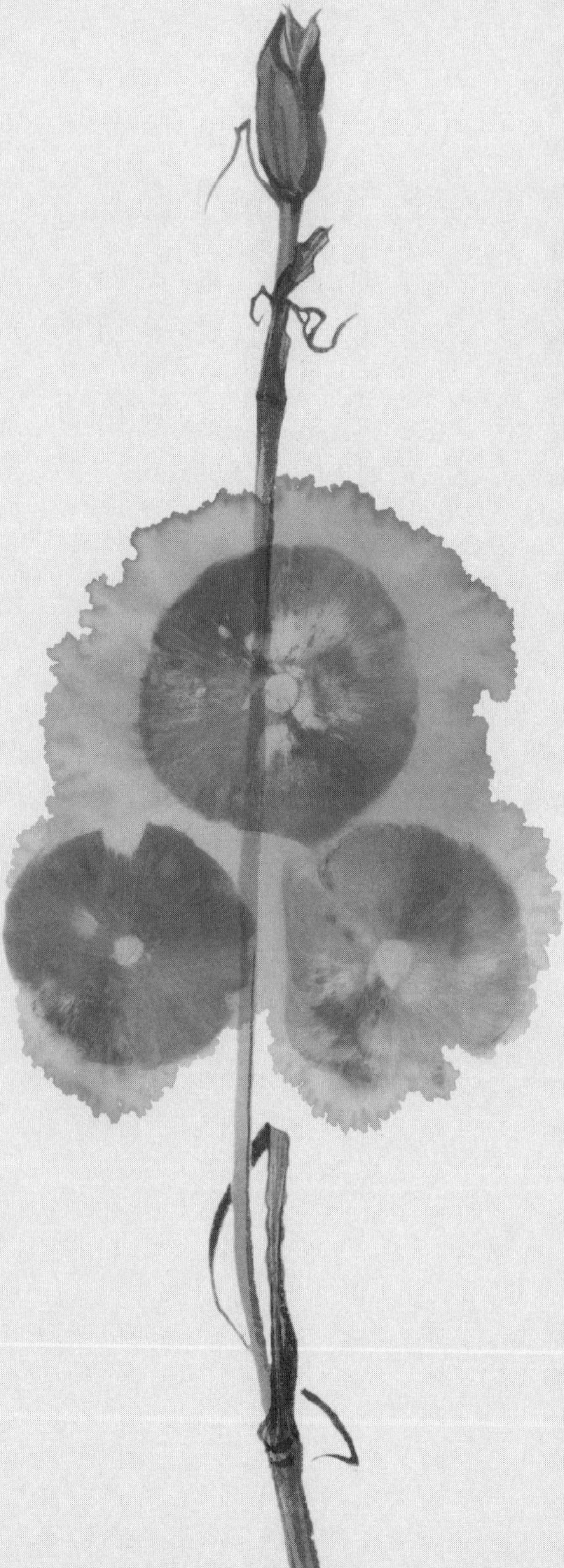

一

足ばやに秋風いそぐ
あかがねの夕日にそまる
川べの道に
萩の花も枯れはてて
ばらばらどんぐりも降ってくる
京の光琳よりもあでやかに
裏山の楓をそめる錆朱と金と
ラピス・ラズリの東の空の
はるかかなたの雲のはて
ひと晩で粉雪たなびく峰みねよ
はるかかなたの朝のはて

耳をかたむけてごらんなさい
いたずら好きな風の笛
すすきが原をきらきらなでて
松が枝で笛ふく風の精
軒端には枯れ葉　くるくる
蜘蛛糸に枯れ葉　くるくる

わたしはふしぎな夢をみた

二

幼い日にみた大銀杏の峠みち
藁の神面まきつけた
道祖神　二、三体
ふいの足音に石の首ふりむけて
ささやきかける　なにごとか
「そこな旅のお人よ
昨夜の枕のお宿をすてて
足のなえるそのまえに
ついの旅にでなければ
時雨にであうそのまえに
ついの旅にでなければ

ふいに札所のふるい梵鐘の
乱打されるそのまえに
ガラスの都　バビロンが
天をもこがす紅蓮の炎に
くだけ崩れるそのまえに
冬のさそり座が悲鳴をあげて
さかさに落ちるそのまえに
この体という悲しみから
いさかいというけがれから
このあやしげな国ざかいから
見るべきものを見たお人よ
ついの旅にでなければ

時雨にであうそのまえに」

三

千年杉の衛兵ならぶ西街道
落合にゆっくりゆれる吊橋に
ざーわ　ざっざー
岩魚の滝壺からこだまする
この水の星の涼しいしぶきよ
青よりもなお青い鱗ひるがえす
すみきった牙の龍神の川
岩けずる泡の牙

ざーわ　ざっざー
とどまることをこばんで
座禅草の祈りをみだし　ながれ
六月の蛍火もしらず　ながれ
みのりの笛太鼓もきかず　ながれ
のたうちとどろく暴れ川
秋《とき》の川

狭霧たつ岸べには
猫じゃらしぬれてゆれ
金の目玉の龍神はといつめる
笠と杖の人影にといつめる

ざーわ　ざっざー
「根なし草よ　なんの旅か」と
「どこから来たのか」
「どこまで行くのか　浮き者よ」
泡の牙はといつめる
ざーわ　ざっざー
岩かげで腹をかかえて笑いだす
苔むした五百羅漢たち

御師の村はまだまだ彼方だ
御師の村はまだまだ雲の彼方だ

四

ハマナスも枯れた砂浜に
ありし日々を吐きだす波の舌
貝殻　空きビン
折れた怒り
闇の十里が浜をたどるお遍路に
骸ども　骸ども
骨どものしゃくりあげる錆びた声

すぎし夏の大いなる戦いに
青い泰平のわたつみに
棺はふかみにいまもただよい

魂は炎にまみれ空からおちた
灼熱の市街ににげまどう
おお　こげる心　とける肌
立ちすくむ母じゃのまえで
男どもは死の狂乱にとり憑かれ
にくしみの血をすすった舌　また舌
あの女神ベローナの季節
乳房橋で永訣の手をふった
恋する魂魄は南の空の
弾幕のなかに消えはてる

いまや罪と過誤もわすれはて
わすれたことさえわすれはて

またも声だかに力におごる
死の盃に酔うわれらの宴
そっとほくそえむ女神ベローナ

じっと見つめる阿修羅の目
じっと見つめる阿修羅の目

　＊女神ベローナ　古代ローマの戦いの神

五

一瞬のような　永劫のような

妖星の光はどれほど映ったのだろう
汨羅《べきら》の淵のみどりの鏡に
日はのぼり　日はくれて
もうどれほどの水が流れたのだろう
梟の鳴くしずかな森に
空は咳をし　唾をはいた
また日がのぼり　日がくれて

どれほどの赤い実が落ちたのだろう
ぽちゃん　ふたつ　ぽちゃん
水に浮かぶもみじの葉の
ゆれてふわふわ
青いうろこの魚一尾

かすかに背びれを動かして
かすかに匈奴の蹄をきいた
青いうろこの魚一尾
見ひらいたぬれた目に
青い涙がかすかにすべった

いつも白鷺がおりて啼く
「ココココソガ正シイ終焉ノ淵」
入水したのか
つき落とされたか
ふかみに　さらにふかみに
いかりと罪科にかすかにふるえ
青い尾がかすかにふるえ

また日がのぼり　日がくれて

＊汨羅　楚の詩人屈原が入水した川

六

鼻のそげた馬頭観音の
右手に曲がると朽ちた女人堂
への字　への字のひじり坂
白樺の枝のすきまから
見あげれば　旅のお人よ

真珠をばらまいた乳の川
かささぎの昔語りのふるい橋
こ宵こそは恋かよう光の川
南から赤いアンタレス星は
それはやさしい太古の光を
織り姫の裳裾にそそぎ
ああ　あのあわい横顔は
涙つぶひろう姫かしらん
ひとつ　ふたつ　いつつ

いつのころからか
欄干に身をよせかけて
待ちわびた肩はかたく

落ちてかたむき
冠《かむり》着《き》山《やま》の闇に凍ったままに
さまよう面影の淋しさよ
はやく名のってください
さあ　はやく名のってください
残月の消えゆくそのまえに
もうすぐに　後朝《きぬぎぬ》の梵鐘がなります

ヒメシャガの花はとっくに散って
姨捨のくらい山があけてゆく
しらじら浮かぶ猿ガ峠

七

古里をすてた鈴の音《ね》が
野分にのってたどりつく
山ふところのやせた村
むかしは一里塚に御触書
ひやけした民草をみくだして
いと高きものたちの布令あり
くるった民草の
お城の白洲に身をなげだして
三分の年貢に子孫をかけた
一族のたかくさらされた石河原

いまやはるかに時はすぎ
万歳も　高田の瞽女《ごぜ》も
刈入れどきにめぐりきた
子雀さわぐ棚田のあぜに
はては酒くさい坊主もふらふらと
そばの実もくろくみのるこの里に
ひくくたなびく夕げの煙
山のうえには金の星
ごらん　杖と笠のよそものよ
裏山のとくとくとわく水に
からし大根と昔話と
今はとおい痛みをあらう
民草の骨ぶとなごつい手よ

「コノ春　十六
ササゲノ春ヨ
ドナタニ初花
ツマショヤラ」

あることの悲しみはすて流し
めぐりくる春のかすみをあおいでは
よろこびは梅の一朶に
うぐいすの鳴く

八

どこかで海鵜のねむる
岬のはて　夜陰のはてに
かすかにゆれる漁火の
人里とおく寂しい波は
さらさらとよせてはひいて
さあ　あげ潮の神との大博打
どんな手をうとうとも
大漁か　飢えか
きめるのは月齢の三角波
ここでも黒潮はくりかえし
まどろみにあさく聞く

網ひく歌もくりかえし
足くびさする枕辺のお人よ

いそがねば　巡礼よ
時雨にであうそのまえに
あすの宿はまたも遠のき
たどれども　たどれども
補陀落《ふだらく》もパライゾも霧ふかく
うつつもまぼろしも
もうなにも見えない西の沖に
ただ　ごうごう　渦潮の
茫洋と　茫洋と

なにひとつ身につかず
宿命の泡渦に目まいして
ただ　生まれたままの水死の涙
ゆけば迷い　迷ってはゆき
泡だつ怒濤に目までうしない
祈りの鈴音《すずね》を杖かと鳴らし
後ろからついてくる黒い足音と
きそいあう心ぼそさ恐ろしさ
ふりかえり　ふりかえり
よろよろいそぐ　盲目のお遍路よ
行き倒れふす耳のかなたに
遠ざかる
かすかな舟歌　櫂の歌

九

「ああ　あれは　誰だったかな
たった今すれちがった影は
はるか昔の果てのない道で
すれちがった気がする影は」

とがった頬骨
まぶたの枯れたしわ
生誕の日も村もしらず
ただ億年の大河のあぶくから生まれ
銀鱗の蝶のように峰をこえ
そうなのだ　七つの村の

石榴のような美しい七つの夏も
婚礼のおしろいや花がらの帯
碑文《いしぶみ》の世迷いごとさえ
すべてを追って　おいてきた
最後の人　最初の人か
まるで永遠の甘露をふくんで
「ない」ということをかさね
「ない」という名の
「すべて」の人だ
一瞬　あらわれ
一瞬　きえる
名もない常夜燈の光

ゆっくり
柳の枝で夜露をふさぎ
曼珠沙華をしとねにねむり
黄金の横ながのまぶたを
まだ来ない時の終わりの
夕焼け雲にほっそりむけた
太古からのふいの木霊《こだま》か
またも　億年のよごれをぬぐい
大河のあぶくに消えた

「ああ　あれは　誰だったのかな
弥勒?」

十

あかるい夜の光に
あおく凍てつく雪の原
からだあたためあう姫ねずみの
巣穴からもれるかすかな睦言
飢えた狐よ　どうかそっと
見のがしてほしいのだ

月の狩人に追われる天の鹿よ
矢をうけた赤いしたたりは
聖なる鹿の死
せせらぎのさえずりに

めぶく森の浅黄の風に
どうかそっと葬ってほしいのだ

どうか
仮寝する旅のお人よ
セキレイの
石うつ尾羽根にみちびかれ
ひろい空の桃源の名まえを
ひそかに送っておくれ

「水をいれ　水を吐き
きらら光に水の車は
今もなおどこかで歌う春の風」

十一

ゆっくりとまぶたをとざす巡礼に
ながれきた万の明けがた
ながれさった万の暮れがた
しぶきのきらめきにぬれながら
今の夢　きのうのうつつ
無慈悲な時の影にとけてきえ
渡し船にまどろむ耳に
かすかな水鳥の声
ゆっくりまぶたをとじるとき
ぬけおちる月や星　古里も
失心のめまいに

かすかにふるえる
「存在」のやわらかなかるさよ
じゃぶ
　ちゃぷ
　　じゃぶ
　　　ちゃぷ
レテの流れは舟板をなめ
ついには木蓮の
花おちるはるかな岸を濡らす
「あること」の驚きは
夢よりもあさく揮発する夢！
いつしか心は固く貝となり
いつしかからだは骨となり

青い水明かりにつつまれて
じゃぶ
　ちゃぷ
　　じゃぶ
　　　ちゃぷ
明日もきのうも脱ぎすてて
じゃぶ
　ちゃぷ
　　じゃぶ
　　　ちゃぷ
しじまにじっと耳かたむける
しじまにじっと耳かたむける

＊レテ　ギリシャ神話の忘却の川

十二

遍路のいのちは白い露となり
泉となり滝となり
水ぬるむ川面に浮巣をゆらし
ふいに霧となり雲となり
森をしっとりとそめあげて
朝のさざなみよせるとき
ゆるやかにねがえりをうつ雲

もうここでは
宇宙のはてしない膨張も
時のすすみもありはしない
瞬間のめくるめく永劫の停止よ
魂魄はただ起源のさすらう記憶
いつも人はいまだ実らざるいのち

もうひとたびの旅出のまえに
くりかえす誓いにこうべをたれて
捨て身の光さす
すがすがしい明けがたに
とん　とん　ととん
魂魄はつよく踏みならす鏡板

魂魄はつよく踏みならす鏡板
とん　とん　ととん

「わたしはまえの世に息たえて
ことの葉をぬぎ捨てさって
またまた永劫に旅だつ裸身
さあ行こう　もうひとたび
さわやかな『あること』の母の川
翼あるもののさえずる川へ」

十三

こう
こう
こう
こう
鳴きかわす青い水の羽ばたきよ
また羽ばたいて
ラピス・ラズリの空わたる水の翼の
ひたむきな澄んだ眸よ

こう

　　こう　こう

円柱のようにまきあがり
時こえて雲こえて
湖水に影をすべらせて
雲の街道へ
ひとときの
命をまるごとときはなつ

こう
　　こう　こう

森で笛ふく春の精

雪形のつぶやく祈りが
空の野を赤くそめ
あけぼのの別れの名ごりに

こう
　こう
　　こう

天の路にきえてゆく
すみきった
　こう
こう
　こう

こう

わたしはふしぎな夢をみた

あとがき ――「詩の擁護」

才のなさを顧みることもなく、詩や文をつづり、気づくとすでに日は大きく傾いている。幸か不幸か、詩と言葉にかかわってきたのもひとつの運命、含羞とともにこの詩集を編んでみた。

西欧文芸から触発された新体詩、近・現代詩の命脈は意外に短いのではと言った人もいるようだが、昨今のようすを眺めるとたしかに人々の関心は近・現代詩から離れているのかもしれない。

その上、日本語の変化もはげしい。文法さえ変わらなければ日本語だと主張する向きもあるかもしれないが、カタカナ外来語の氾濫にはただ驚く。いつかはふるいにかけられ、ある均衡にいたるのだろうが、そのときすでにおおくの語彙は死語廃語になっているだろう。明治前半の日本語の混乱をふたたびくり返しているのではないか。詩をつくろうとする者にとって厳しい季節だ。言葉の断絶という事態を覚悟しておくしかない。

こうした危機的な状況のなかで、伝統的定型詩やいわゆる近・現代詩、あるいは詩と呼ばれる行分け短文などを再検討し、言語の性質をおもい、詩歌のもつ本来の大きな可能性へいま一度目をひらき踏みださねばならない。そのことでおとろえた言葉の豊かな喚起力

をとりもどし、詩の花を育てること、それこそが現代に必要な「詩の擁護」だと思う。

古代ギリシャ神話では詩人は神々の落としていったものを拾うパルナソス山の「屑ひろい」だった。ここにまとめたものは神々なき山から拾ってきた落葉でしかないが、焚き火ぐらいにはなってほしいものだと思う。

五冊目の詩集である。

装画は八ヶ岳南麓に蟄居し、富士と星空をながめる旧来の友、独創的な自称「絵かき屋」渡辺隆次さんにお願いした。快諾くださった友情に深く感謝する。

「あづみ野」および「青い水の哀歌」のほとんどの詩は「ミッドナイト・プレス」WEB版に発表された。ただし、推敲癖のため発表後も手を入れてきた。「羇旅の靴音」にあつめた詩も改稿はなはだしいので初出は記さない。

出版にあたっては岡田幸文氏・装丁の大原信泉氏のお世話になった。ここにお礼申し上げる。

平成二十七年四月　　穂高有明山山麓にて

著者

井上輝夫（いのうえ てるお）
1940年兵庫県西宮市夙川生まれ。慶應義塾大学文学部卒。ニース大学仏政府給費留学生（博士号取得）。
詩集 『旅の薔薇窓』（1975、書肆山田）、『夢と抒情と』（1979、思潮社）、『秋に捧げる十五の盃』（1980 、書肆山田）、『冬　ふみわけて』（2005、ミッドナイト・プレス）。
著書 『ボードレールにおける陶酔の詩学』（1977、フランス図書）、『聖シメオンの木菟』（1977、国書刊行会）、『詩想の泉をもとめて』（2011、慶應義塾大学出版会、日本詩人クラブ詩界賞）。
訳書　リュフ『流謫者ボードレール』（1977、青銅社）、ラモネ『21世紀の戦争』（2004、以文社）、ヴィリエ・ド・リラダン『最後の宴の客』（2012、国書刊行会）、『ガラン版千夜一夜物語』（2013、国書刊行会）など。
現住所　399-8301 長野県安曇野市穂高有明7552-79

ミッドナイトプレス

青い水の哀歌

2015年6月18日発行

著者　井上輝夫

装画　渡辺隆次

装丁　大原信泉

発行者　岡田幸文

発行所　ミッドナイト・プレス

埼玉県和光市白子3-19-7-7002

電話 048(466)3779

振替 00180-7-255834

www.midnightpress.co.jp

印刷・製本　モリモト印刷

ISBN978-4-907901-04-2